13 CLEFS

POUR MIEUX RÉUSSIR CE QUE J'ENTREPRENDS

Edmond Bourque

13 CLEFS

POUR MIEUX RÉUSSIR CE QUE J'ENTREPRENDS

Les Éditions *qualité performante* inc.
2045, rue de Vouvray
Laval (Québec)
Canada, H7M 3J9
(514) 669-8373

Design graphique couverture

DANIEL MONETTE
création graphique inc.

Photographe

MICHEL KIEFFER

Photocomposition et mise en pages

JACQUES JOBIN
Editronic

Équipe de révision

Michel Arsenault
Gérard Couturier
Paule Genest
Ambroise Lafortune
Francine Lanouette
Madeleine Latour
Jacques Laurin
Monique Normandin
Paul-Aimé Paiement
Marcel Piché
Denis Poirier
Émile Robichaud

Dépôts légaux - 3ᵉ trimestre 1990,
Bibliothèque nationale du Québec
Bibliothèque nationale du Canada
ISBN 2-9801776-0-1

Imprimé au Canada.

© Les Éditions *qualité performante* inc.

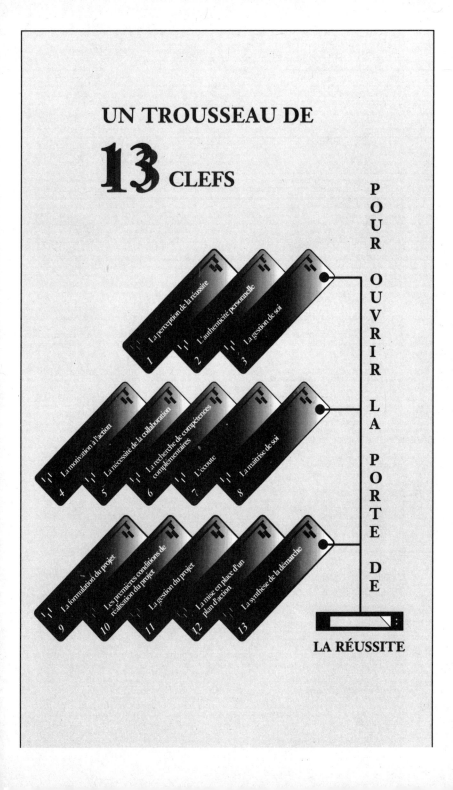

UN TROUSSEAU DE

13 CLEFS

POUR OUVRIR LA PORTE DE

1 La perception de la réussite
2 L'authenticité personnelle
3 La gestion de soi

4 La motivation à l'action
5 La nécessité de la collaboration
6 La recherche de compétences complémentaires
7 L'écoute
8 La maîtrise de soi

9 La formulation du projet
10 Les premiers conditions de réalisation du projet
11 La gestion du projet
12 La mise en place d'un plan d'action
13 La synthèse de la démarche

LA RÉUSSITE

REMERCIEMENTS

À mon épouse Ginette pour sa compréhension, son implication constante et son encouragement tout au long de la réalisation de ce projet.

À mes trois filles, Marie-Christine, Caroline et Stéphanie, pour leur engagement exemplaire dans leurs études, leurs relations amicales et leur vision optimiste de la vie. Leur exemple m'a stimulé dans la poursuite de ce travail.

À mes collaborateurs et collaboratrices de premier plan, Gérard Aumont, André Beaucage, Michel de Celles, Jacques Genest et Jean-Marie Toulouse, pour leur disponibilité, leur patience, leur rigueur, leur inspiration et leurs précieux conseils, ainsi qu'aux nombreuses personnes du monde des affaires, de l'éducation et de la politique, pour leurs suggestions judicieuses et enrichissantes.

PRÉFACE

Association de mots et d'idées :
> clef… serrure… limite… contrainte… mort;
> clef… porte… ouverture… liberté… vie.

Nous avons **tous** la faculté de percevoir à notre façon. Nous percevons de la façon que nous avons choisie.

Si je suis pessimiste, je crois regarder la vie en face sans vouloir admettre ou prendre conscience que mes difficultés de dépassement personnel dépendent surtout des obstacles que je me crée.

Si je suis optimiste, je perçois le beau côté des choses ou des événements, sans trop chercher à tenir compte du fait que je m'enferme, avec mes angoisses et mes illusions derrière un sourire perpétuel…

Autre association :
> succès… avenir… épanouissement… bonheur… paradis .

Et vous! quelles associations faites-vous avec le mot SUCCÈS?

À chacun ses mots, à chacun ses associations…

Certes, mais on ne peut vivre vraiment sans réaliser très vite que ces mots, chargés de signification, ce sont les autres qui nous les renvoient continuellement comme par effet de miroir.

Et, par le même effet de miroir, ce sont les mots des autres que nous reflétons continuellement.

En prendre conscience, sans cependant aller jusqu'au bout de sa découverte, c'est demeurer les pieds, le cœur et la tête dans le vide.

Votre plus grande découverte en parcourant les prochaines pages pourrait être non pas de trouver des clefs qui vous ouvriront le chemin du succès... mais plutôt les clefs qui vous permettront de vous connaître vous-même... pour accéder au succès.

L'auteur a réfléchi sur ce flux d'informations qui lui parvenaient continuellement des autres mais risquaient de se perdre dans le brouhaha du quotidien faute de quelqu'un pour les capter, les ordonnancer et les exploiter judicieusement.

Il a décidé d'entreprendre leur cueillette. Il y a même de cela déjà plusieurs années. Un bel exemple de constance.

La décision de se mettre à l'œuvre et la ténacité de s'y tenir, c'est la combinaison du succès que je souhaite à chacun de vous. Les clefs fournies ici vous permettront de franchir les nombreuses portes qui s'ouvriront alors devant vous. L'auteur vous retourne ainsi la somme, retravaillée et reformulée, de vos rêves et de vos espoirs.

Il a moulé ces clefs de son énergie, de son sommeil perdu, de ses refus à d'autres travaux, de son absence à d'autres besoins, à d'autres..., de sa peine de devoir constamment choisir entre la douceur du présent et l'incertitude ou la promesse du futur.

Il voulait aller au bout de sa quête par amour pour les autres, donc par amour pour lui-même.

Il se devait de partager avec les autres la synthèse de ce que les autres ont partagé avec lui.

Il a accepté de le faire.

Jacques Genest
Dirigeant d'entreprises

AVANT-PROPOS

> « Sans travail, la vie pourrit.
> Mais quand le travail est sans
> âme, la vie étouffe et meurt. »
>
> *Albert Camus*

Pourquoi j'ai écrit ce livre

Toute entreprise se fonde sur la réalisation anticipée d'un idéal ou d'un besoin. Le succès ne résultera pas simplement d'un rêve; il aura pour fondement un ensemble de réflexions, d'opérations calculées, d'actions planifiées avec soin et lucidité, avec une volonté ferme et persévérante; le tout repose sur de solides qualités humaines, sur des collaborations franches, sur l'écoute attentive de conseillers judicieux. À elles seules, toutes les clefs décrites dans ce volume ne suffisent pas. Il faut y ajouter celles plus rares et plus intimes de la sincérité, de la sensibilisation aux autres, du sens critique. Ainsi peut-on atteindre l'objectif de départ, après avoir effectué les choix nécessaires pour parvenir enfin à la réussite escomptée.

Pour ma part, après avoir organisé plusieurs sessions de formation sur le démarrage d'entreprise, avoir permis à plusieurs centaines de participants de franchir le cap des cinq premières années de fonctionnement de leur entreprise, avoir décidé à mon tour de lancer ma propre entreprise, avoir regardé le trajet parcouru pour la développer, avoir constaté la difficulté de l'apprentissage par essais et tâtonnements, j'ai tenté d'ouvrir une voie à quiconque voudrait se lancer dans des affaires dont il ignore les pièges. À cette fin, j'ai décidé de forger ce que j'appelle des clefs *pour mieux réussir ce que j'entreprends*.

Pourquoi lire ce livre

Avez-vous fait votre choix: *réussir dans la vie ou réussir votre vie?* Aimez-vous votre travail? En retirez-vous de réelles satisfactions? Vous accomplissez-vous? Ce livre vous aidera à répondre à ces questions et à plusieurs autres. Il vous facilitera l'accès à la concrétisation de vos rêves. Vous serez mieux équipés pour faire face aux situations problématiques et vous serez plus sensibles aux besoins de l'autre. Réussir sa vie comme réussir un projet, ça peut être considéré comme d'avoir à résoudre un casse-tête. La clef, c'est de placer les différents morceaux aux bons endroits, ou encore d'utiliser les bonnes clefs pour franchir les portes qui mènent à la réussite. Gardé à portée de la main, ce livre favorisera la convergence de vos intérêts personnels, professionnels et organisationnels.

Vous y trouverez regroupées treize conditions indispensables à la réussite. Ces 13 **clefs** vous aideront à mieux planifier, organiser et développer votre entreprise, à vous ouvrir les **portes** du succès. Je suis heureux de vous présenter ce premier **« trousseau ».** L'utilisation fréquente de ces clefs enrichira votre personnalité et vos méthodes de travail et facilitera vos relations interpersonnelles. Vous accroîtrez ainsi votre autodiscipline et atteindrez plus facilement et plus rapidement le but que vous visez.

Comment le lire

La page de gauche de la présente publication est laissée blanche volontairement pour vous permettre d'y inscrire vos remarques, vos commentaires, vos références, pour ainsi personnaliser cet instrument de travail. Utilisez-la.

TABLE DES MATIÈRES

INTRODUCTION

> « Le succès est plus près du travail et de la persévérance que du hasard ou de la potion magique... On est rendu où on est maintenant parce qu'on est passé par où on est passé jusqu'ici. »
>
> *Antoinette Drien*

Une clef est un instrument qui sert à décoder une serrure, qu'elle soit électronique ou mécanique. Il suffit qu'une seule encoche ne corresponde pas à la serrure et la porte ne s'ouvre pas. Par contre, si tous les éléments du code ou toutes les dents de la clef sont présents au bon endroit et de la bonne dimension, la serrure s'ouvre simplement. De plus, il faut pour l'utiliser la tenir bien en main. Par analogie, ce décodage se produit consciemment ou inconsciemment dans une transaction. Le client exprime ses besoins et le vendeur cherche à les satisfaire. Cependant, comme chacun l'a constaté, tout n'est pas aussi facile.

Comment amener un client à préciser ses désirs et comment trouver la réponse qui s'y ajuste parfaitement? Le vendeur doit d'abord établir un contact, créer une relation de confiance par une écoute attentive, posséder l'art de questionner et connaître à fond son produit ou son service. Pour franchir la porte de la réussite, il lui faut donc orienter toute son attention vers son client et faire porter ses efforts vers la satisfaction des besoins réels de celui-ci.

Ce livre présente 13 clefs pour ouvrir les portes de la réussite à ceux qui sauront les manier. La première partie de l'ouvrage rappelle les trois préalables personnels nécessaires à la réussite. Dans la seconde partie, nous verrons les cinq préalables du comportement vis-à-vis des autres. Et dans la troisième partie, nous traiterons de la formulation du projet et de ses principaux éléments.

La lecture attentive et intégrale de l'ouvrage contribuera à développer chez le lecteur une meilleure relation avec les autres et le fera progresser efficacement dans son action et dans sa carrière. Chacune de ces clefs est accessible à tous. En conséquence, chaque clef devient un instrument indispensable à utiliser régulièrement. Le succès découlera de leur connaissance spécifique, de leur maniement correct (avisé) et de leur intégration systématique.

Première porte

LA PERSONNE AVANT TOUTE CHOSE

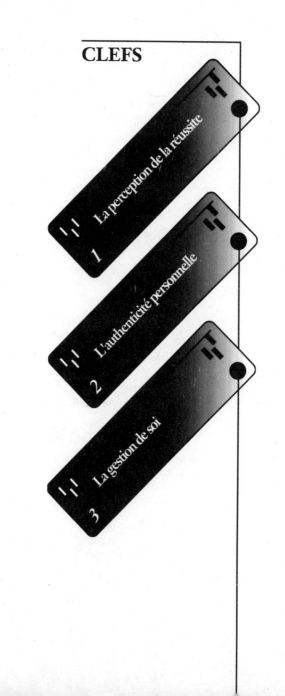

CLEFS

1 La perception de la réussite

2 L'authenticité personnelle

3 La gestion de soi

REMARQUES PERSONNELLES

LA PERSONNE AVANT TOUTE CHOSE

« Il faut des capitaux, des usines et des outils pour produire; mais il faut surtout des hommes et des femmes. Cinq à dix pour cent de plus de rendement au travail, ça fait la différence entre la perte et le profit. Toutes les entreprises sont bonnes, mais ce sont les gens qui font la différence. »

Marcel Dutil

1

PERCEPTION DE LA RÉUSSITE

Le désir de la réussite va de pair chez l'être humain avec le degré d'harmonie qu'il crée en lui-même et dans ses rapports avec les autres. Il implique une ouverture d'esprit, une capacité d'établir des contacts, des échanges, des collaborations. Il exige surtout de prendre conscience que l'aboutissement des actions de chaque personne est grandement fonction de la confiance développée en elle-même et de la motivation qui l'anime pour rejoindre les autres.

Le succès est toujours fonction de nos propres efforts et de l'apport des autres, à tous les échelons de l'entreprise et sur tous les plans. Un projet ne se réalise qu'en liaison avec nos semblables ou grâce à leur aide. Or, leur façon de réagir à notre endroit dépend dans une très large mesure de notre comportement vis-à-vis d'eux. De là vient l'importance de la qualité des relations interpersonnelles, d'où la nécessité d'apprendre à connaître les autres.

REMARQUES PERSONNELLES

Le sentiment de réussite résulte de l'ensemble de nos expériences de vie, de nos échecs, de nos succès; de nos nombreuses réalisations sur les plans scolaire, professionnel, artistique, financier, sportif, etc.; de notre vision du futur, de notre discipline à nous donner du temps pour planifier. Il se manifeste par une certaine promotion sociale faite de reconnaissance, d'estime, d'admiration, témoignée à ceux et celles qui savent se distinguer dans leur secteur d'activité et acquérir une audience suffisante.

La réussite est parfois aussi quelque chose de plus simple : par exemple, obtenir une information que l'on cherchait, résoudre un problème, accomplir ce qu'on a projeté de faire, atteindre un objectif fixé, mener à bonne fin ce qu'on a décidé, adopter une attitude positive à l'égard de ce qu'on fait, être à la hauteur de sa tâche, etc. Cette suite d'exemples de petits efforts, de succès partiels, nous prépare ainsi à savourer davantage un « demain » heureux avec le même cœur qu'on met à goûter les moindres actions quotidiennes.

La réussite, c'est-à-dire l'atteinte des résultats qu'on s'est fixés provoque un sentiment de plénitude, de réalisation, de satisfaction qu'on nomme communément JOIE. C'est la gratification qu'on s'octroie par suite du travail bien accompli. C'est l'unique récompense véritable de la somme de temps, d'efforts, d'énergie qu'on aura consacrée à la réalisation d'un projet.

La réussite est le résultat d'efforts partagés et reconnus par les tiers, lorsqu'on a mené à bien une entreprise où l'on s'était engagé, un projet qu'on avait rêvé d'accomplir. Elle s'applique à tous les secteurs de l'activité humaine.

Réussir, c'est donc *l'heureux aboutissement de ce que j'ai conçu, cru, voulu, entrepris et obtenu.*

RÉSUMÉ 1

PERCEPTION DE LA RÉUSSITE

• **Conscience de**

Δ   sa valeur personnelle;

Δ   la valeur des autres;

Δ   la richesse de ses propres expériences (échecs, succès);

Δ   l'influence qu'on a sur les autres;

Δ   la satisfaction du travail bien accompli.

• **Résultat de**

Δ   la planification;

Δ   la réalisation de projets (petits ou grands);

Δ   la considération du facteur temps.

REMARQUES PERSONNELLES

2

AUTHENTICITÉ PERSONNELLE

Comment développer cette authenticité si précieuse ?

Les Anciens dans leur sagesse avaient déjà amorcé la réponse à cette question en se proposant comme objectif la sentence de Socrate : « Connais-toi toi-même. » L'effort d'harmonie, de netteté, de logique auquel nous invite Boileau dans son « Art poétique » peut nous servir de modèle :

> **« Ce que l'on conçoit bien s'énonce clairement,
> Et les mots pour le dire arrivent aisément. »**

L'authenticité est une qualité de la personne qui traduit une cohérence entre ses idées, ses convictions et ses actes. C'est une manière d'être.

Cette attitude se compose d'un certain nombre d'éléments qui se complètent et s'harmonisent dans leur diversité:

√ être toujours soi-même, « être bien dans sa peau »;

√ savoir se conduire de la sorte avec tout le monde, quels que soient la position, l'âge, le sexe, la nationalité, l'opinion de ses interlocuteurs et les rapports plus ou moins étroits qu'on entretient avec eux;

√ avoir le courage de ses opinions, dans le respect d'autrui;

√ refléter ses croyances, se rendre visible et présent;

√ rester ouvert...

Être authentique, c'est être sincère, juste, naturel; en un mot, être vrai.

RÉSUMÉ 2

AUTHENTICITÉ PERSONNELLE

- **Savoir être**

  Δ   bien dans sa peau;

  Δ   cohérent avec soi-même;

  Δ   présent et honnête avec soi-même comme avec les autres.

- **Être soi-même**

  Δ   en toute circonstance;

  Δ   avec tout le monde.

- **Avoir le courage d'exprimer avec respect ses idées, ses croyances**

REMARQUES PERSONNELLES

GESTION DE SOI

Eh bien oui! *charité bien ordonnée commence par soi-même.*
Agir sur ses savoirs pour mieux se connaître. Maîtriser la maxime
de Confucius:

> **« J'entends et j'oublie,**
> **Je vois et je me souviens,**
> **Je fais et je comprends. »**

Qu'est-ce que « se » gérer ?

Se gérer, c'est s'administrer, savoir se conduire, se donner
une direction, voir à ses intérêts, à sa propre entreprise durant
toute la vie. C'est aussi planifier pour mieux s'organiser, traiter
ses propres informations, apprendre à décider, à savoir dire
« non », à contrôler ses situations problématiques et à les résoudre. Se gérer soi-même, c'est se donner le mandat, la responsabilité de mieux utiliser son potentiel d'énergie créatrice, de
mieux planifier les actions, les opérations de toute sa vie. C'est,
enfin, adopter une attitude positive à l'égard de ce qu'on fait,
identifier ce qu'on peut faire, ce qu'on veut vraiment faire de ses
prochaines années de vie (équilibrer son plan de vie et son plan de
carrière), établir comment l'accomplir et être ouvert aux autres
(écoute active), sensible à leur compétence (recherche de complémentarité) et attentif au changement (adaptation).

La gestion de soi, c'est de développer davantage l'observation de soi et des autres pour **mieux apprendre** et **construire
ses compétences**.

REMARQUES PERSONNELLES

Comment apprend-on?

L'individu est un explorateur-né. Toute expérience lui fait vivre un apprentissage par les sens. Il lui faut voir, toucher, sentir, écouter, goûter, percevoir… en un mot : découvrir par lui-même.

Pour mieux cerner et clarifier notre façon d'apprendre, faisons le petit jeu suivant : choisissons un apprentissage récent et fructueux, et identifions les principales étapes qu'il a fallu parcourir pour atteindre le succès. Nous pourrons trouver la suite logique des éléments suivants.

- *La perception*

L'apprentissage naît généralement d'un besoin personnel. Ce besoin éveille la curiosité, stimule l'imagination et motive la recherche de réponses. Cette collecte d'informations amène l'individu à cheminer intellectuellement et à prendre des initiatives. La masse d'informations recueillies lui donne matière à réfléchir. Car il constate vite qu'il ne s'agit pas uniquement de combler un besoin ressenti, mais aussi de prendre conscience de ce qu'il faut faire ou ne pas faire et pourquoi. Une fois les raisons découvertes, il reste à vérifier si les mêmes causes produisent les mêmes effets : c'est l'acquisition progressive de l'expérience.

La démarche d'apprentissage commence donc par une préoccupation (personne, objet, situation nouvelle) qui nous pousse à en savoir plus long. Le point de départ peut être une occasion fortuite, un événement même anodin, qui nous incite à modifier nos attitudes face au changement. Cette démarche implique l'observation, la réflexion et l'action.

- *L'observation et la réflexion*

Pour maîtriser sa manière d'apprendre, il faut donc avoir d'abord le goût et le désir d'apprendre. Ces deux pivots de l'évolution personnelle reposent sur les concepts suivants et sur leur utilisation : l'exploration, l'observation, le tâtonnement, la perception, la réflexion, la découverte, un effort soutenu de recherche d'informations pertinentes, l'expérimentation, un souci constant de surmonter les obstacles et la communication des

REMARQUES PERSONNELLES

résultats. En analysant les principaux éléments de sa propre façon d'apprendre et en se fixant des objectifs, chacun deviendra plus efficace, dans sa gestion personnelle.

- *L'analyse des informations*

Pour faire l'apprentissage de quelque chose, il faut « intuitionner », s'interroger, identifier des causes, constater des résultats, tenter de reproduire des résultats similaires, s'exercer, s'habituer, s'habiliter, établir des rapports entre les stimuli et l'action, retracer les principaux éléments d'une nouvelle démarche, mettre en pratique une méthode, passer à l'action. L'apprentissage se réalise à partir de l'expérience personnelle, sans compter tout l'apport venant de l'influence des autres et de la formation qu'on s'est donnée.

L'apprentissage met en branle les facultés, l'émotivité, l'imagination, l'invention, la créativité, la spontanéité, la curiosité, l'initiative, la volonté de réussir et l'application de ses habiletés. Il implique aussi l'automotivation, la maturité physique, intellectuelle, affective, sociale et spirituelle et les situations significatives grâce auxquelles l'individu obtiendra une satisfaction personnelle.

Il est donc important de se donner du temps pour se gérer, pour bien se connaître soi-même dans l'apprentissage, afin de mieux cerner ses compétences.

Qu'est-ce que la compétence ?

La compétence est la somme des connaissances et la capacité de les appliquer, reconnues à une personne dans un ou plusieurs domaines.

Percevoir et comprendre sa manière d'apprendre et connaître ses comportements (manières de penser, d'agir et de réagir, d'être) aident l'être humain à mieux identifier, acquérir et développer ses aptitudes. Prendre conscience de cet ensemble de façons dont il procède lui facilite la communication avec les autres et lui permet de mieux utiliser ses compétences.

REMARQUES PERSONNELLES

De quoi est faite la compétence?

Pour identifier sa compétence personnelle, il est important de considérer:

Δ   son <u>acquis théorique</u> : idées, culture personnelle et degré de scolarisation, c'est-à-dire vocabulaire, images, techniques, etc., en un mot, son **savoir**;

Δ   son <u>acquis pratique</u> : expérience, c'est-à-dire habiletés conceptuelles, motrices et techniques développées, communément appelé son **savoir-faire**;

Δ   son <u>acquis psychologique</u> : prise de conscience de ses attitudes et de ses comportements, de ses valeurs et de ses intérêts, c'est-à-dire son **savoir-être**.

Comment se développe la compétence?

Prendre conscience de sa compétence débute par la clarification de ces trois acquis : savoir, savoir-faire et savoir-être.

Δ   Le **savoir** se développe par l'étude, la lecture, l'observation, les contacts fréquents avec les autres et une plus grande utilisation de modèles existants. Voilà la source des données théoriques qu'on possède.

Δ   Le **savoir-faire** se développe par la clarification de ses capacités réelles et de ses limites, c'est-à-dire de ce qu'on peut effectivement faire. Il résulte en bonne partie des expériences, des réalisations (succès, moments performants, hésitations, difficultés et même échecs de chacun) et de l'utilisation de sa propre créativité. Cette réflexion, favorisant un meilleur apprentissage de la planification de son temps, de ses méthodes de travail, et en définitive de sa productivité, permettra à chacun de dégager une habitude d'auto-évaluation et lui donnera une habileté accrue à trouver des solutions valables à des problèmes précis ou à des situations nouvelles.

REMARQUES PERSONNELLES

Δ Le **savoir-être** se développe en prenant conscience de ses habitudes, de sa manière d'être dans l'accomplissement de ses diverses activités et dans l'exécution de ses divers rôles, de son degré d'*artisterie*, c'est-à-dire son sens artistique, de son originalité d'esprit, de sa vivacité d'expression, de sa discipline personnelle. Le savoir-être se traduit mieux lorsqu'on s'accorde du temps pour réfléchir, lorsqu'on s'autodiscipline et qu'on accepte de changer ce qu'on peut changer, sans se laisser tourmenter par ce qui est immuable. Il s'exprime par tout et dans tout ce qu'on fait. Nous l'appelons *présence, authenticité, cohérence*. Certains lui attribuent comme conséquence la *crédibilité*.

Telles sont les principales données à connaître sur soi-même. Elles permettent à chacun de prendre davantage conscience de ses possibilités et de développer sa compétence.

Comment procéder pour mieux cerner sa compétence ?

√ Se donner du temps pour réfléchir;

√ Dresser un premier bilan, un inventaire de ses points forts (savoirs et habiletés), de ses points faibles; de ses réalisations (échecs et succès); et de l'expérience acquise des demandes faites par les autres.

Après ces efforts de réflexion pour concrétiser son portrait personnel, on pourra mieux faire partager aux autres son savoir-faire, son savoir-être et son savoir tout court, et utiliser son quatrième savoir : son **faire-savoir**, c'est-à-dire communiquer son *appris* et son *connu*.

La réussite d'un projet n'est pas qu'une affaire de technique de gestion, mais aussi de gestion de soi et d'utilisation maximale de ses compétences personnelles.

RÉSUMÉ 3

GESTION DE SOI

- **Connaissance de sa manière d'apprendre**

  - Δ   Exploration;
  - Δ   Perception;
  - Δ   Observation;
  - Δ   Réflexion;
  - Δ   Analyse des informations;
  - Δ   Expérimentation;
  - Δ   Communication.

- **Conscience et utilisation de ses savoirs**

  - Δ   *Savoir* : culture personnelle et scolarité (vocabulaire, images, techniques, etc.);

  - Δ   *Savoir-faire* : résultats obtenus par l'expérience acquise, les réalisations (succès et échecs) et l'utilisation de sa créativité; et manifestations observées de ses habiletés dans sa gestion de la productivité, sa gestion du temps, son adaptabilité au changement, sa capacité de résoudre des problèmes;

  - Δ   *Savoir-être* : attitudes et comportements dans l'accomplissement de ses activités et rôles; sens artistique (originalité d'esprit, vivacité d'expression, discipline personnelle);

  - Δ   *Faire-savoir* : partage avec les autres de son savoir-faire, de son savoir-être et de son savoir.

- **Maîtrise de son développement**

  - Δ   Réfléchir régulièrement;
  - Δ   Faire son bilan personnel (identification de ses forces et de ses faiblesses, de ses goûts, de ses motivations).

Deuxième porte

CHACUN DOIT TROUVER SON COMPTE : SOI-MÊME ET LES AUTRES

CLEFS

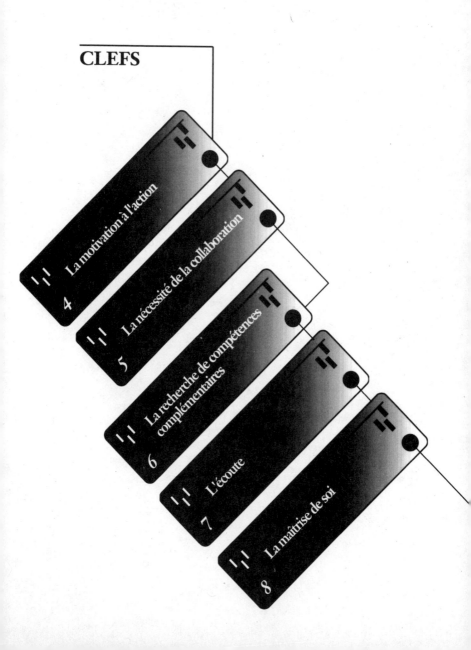

4 La motivation à l'action

5 La nécessité de la collaboration

6 La recherche de compétences complémentaires

7 L'écoute

8 La maîtrise de soi

REMARQUES PERSONNELLES

CHACUN DOIT TROUVER SON COMPTE : SOI-MÊME ET LES AUTRES

> « Il ne faut jamais compter sur les autres si on s'attend à ce qu'ils fassent notre travail. On doit obliger les autres à compter avec nous quand chacun fait son travail. C'est cela s'aimer et aimer les autres... C'est cela se respecter mutuellement. »
>
> *Jacques Genest*

MOTIVATION À L'ACTION

La réussite arrive rarement par hasard... Personne ne se voit servir un plat de succès sur un plateau d'argent... ou ne réussit en utilisant une potion magique. Celui qui réfléchit et croit en lui-même et en un projet, celui-là fait des efforts, sait trouver des appuis, a accès à des réseaux spécifiques. S'il persévère, il réussira.

Qu'est-ce qu'un projet ?

Un projet, c'est un rêve qu'on veut faire devenir réalité, une vision présente d'un futur souhaité, tout ce par quoi on tend à modifier le milieu ou soi-même dans un sens donné. De là provient la motivation chez soi, c'est-à-dire les raisons qui font agir, les motifs d'un comportement, d'une décision. Décision prise, il faut passer à l'action.

Une étape préalable... la connaissance de soi

Qui peut à brûle-pourpoint identifier ses principales qualités, ses faiblesses les plus flagrantes? Qui a déjà pris quelques heures pour réfléchir sur lui-même, sur sa situation, sur ses ambi-

REMARQUES PERSONNELLES

tions réelles, sur ses goûts... sur son avenir? En somme, qui a déjà regardé attentivement son portrait psychologique, intellectuel, moral? Qui peut affirmer se connaître réellement? (Revoir la troisième clef)

Par où commencer?

Chacun sait-il que :

- √ il est unique, corps, intelligence et âme?
- √ il est conditionné par son expérience, sa position particulière et la visée qu'il se donne dans le temps et l'espace?
- √ il est maître en toute liberté de l'utilisation et du contrôle de sa personne?
- √ les formules magiques de succès n'existent pas, que c'est à chacun de se les inventer?
- √ dans la vie, tout ce qui a une importance réelle à nos yeux mérite qu'on lutte pour le bâtir ou pour l'obtenir?

Si oui, qu'il se mette au travail, qu'il passe à l'action.

Pour porter un jugement plus strict sur sa valeur personnelle, chacun **peut** et **doit** se demander s'il a :

- √ identifié ce qu'il aime et ce qu'il n'aime pas;
- √ choisi son prochain objectif et l'a défini en termes de résultats concrets;
- √ recherché et précisé les éléments qui le motivent, le font passer à l'action, le font grandir;
- √ développé une tournure d'esprit positive;

REMARQUES PERSONNELLES

√ utilisé à fond ses convictions personnelles;

√ agi généralement avec enthousiasme;

√ pris des initiatives;

√ consulté son intuition, s'est donné du temps de réflexion avant de décider, et a su dire non à ce qu'il ne voulait pas;

√ réglé les problèmes un par un, par ordre de priorité, sans les laisser traîner;

√ parlé de ses projets avec confiance et assurance;

√ pris le temps de bien choisir les membres de son équipe;

√ respecté la vérité envers lui-même et envers les autres;

√ développé le sens du « petit effort supplémentaire »;

√ pris note des bonnes idées qui se présentent à lui, tout au long de la lecture des points qui précèdent.

S'il a alors pris conscience de ses raisons d'agir, de ce qu'il aime, peut et veut faire et des moyens pour y parvenir, il aura de lui un portrait assez fidèle. Les réponses à toutes ces questions personnelles lui fourniront une esquisse valable de ses aptitudes à s'engager dans le sentier qui conduit vers la réussite recherchée.

- **Projet**

  Δ   Idée d'agir en rapport avec ce qu'on veut faire et moyens pour y parvenir.

- **Motivation**

  Δ   Raisons qui font agir.

REMARQUES PERSONNELLES

NÉCESSITÉ DE LA COLLABORATION

La réussite de tout projet ou de toute entreprise est fonction de l'apport de plusieurs personnes, à tous les échelons et sur tous les plans. D'où la nécessité de la collaboration.

Qu'est-ce que collaborer?

Collaborer, c'est travailler ensemble à une œuvre commune : plus précisément, c'est l'ensemble coordonné des actions et des attitudes d'un individu dans ses relations d'échange de vues, avec une ou plusieurs personnes, pour réaliser un même projet. C'est aussi l'éveil au travail en équipe, le doigté pour aborder quelqu'un d'autre et la façon d'harmoniser ses énergies dans les rapports humains. Enfin, c'est une forme de partage qui sert à découvrir l'utilité d'unir ses efforts à ceux des autres et qui permet d'attribuer et de reconnaître le mérite de chacun des participants.

La collaboration n'est pas synonyme de naïveté. Elle est le réflexe du « doute éveillé », de l'attention et de la sensibilité aux attentes des autres. Elle est ouverte aux rivalités saines et aux complicités opportunes, et elle facilite le développement d'actions constructives.

Quelles sont les bases de la collaboration ?

La collaboration ne s'établit pas par hasard. Elle provient de situations et de comportements similaires, de ménagements mutuels et du désir commun de s'entraider. Elle s'appuie sur le respect réciproque, la discipline personnelle et une maturité liée au sens des responsabilités.

REMARQUES PERSONNELLES

Connaître et observer ces règles du jeu dans un groupe sont des preuves non équivoques d'objectivité, de loyauté, de « collégialité », d'esprit sportif et de bonne humeur. Alors la confiance s'instaure, une collaboration prend forme… Ensemble, tout devient possible.

Comment établir une saine collaboration ?

Nous constatons souvent des divergences d'opinions entre individus qui vivent ou travaillent ensemble, exprimées tacitement par une réaction du visage dans la conversation, par une différence de ton dans le langage ou de style dans l'expression écrite. Elles traduisent souvent la fatigue, la nervosité, des susceptibilités, et parfois même de la colère, de la jalousie, des ambitions de pouvoir ou de prestige, des traits de méfiance, d'opportunisme ou d'incompréhension.

Au contraire, une saine collaboration provient de la connaissance, de la compréhension et de la maîtrise des principales règles du jeu de l'humain : sourire, ouverture, suggestion ou aide gratuite, participation inattendue, appui, etc.

Passons à l'action…

√ Ouvrons par notre connaissance de l'être humain la porte qui donne accès à la confiance en soi, à l'écoute attentive, à l'ouverture d'esprit, au respect et à l'intérêt pour autrui, à l'humour, à l'enthousiasme et à l'optimisme, à l'appartenance et à la solidarité;

√ Montrons comment la tâche de l'un se relie à celle des autres;

√ Relevons les avantages du travail en équipe et communiquons-les;

√ Informons nos partenaires, consultons-les au lieu de les placer devant des faits accomplis;

√ Évitons le « je » et utilisons le « nous »;

√ Faisons ensemble le point sur les relations existant à l'intérieur du groupe;

√ Collaborons…

RÉSUMÉ 5

NÉCESSITÉ DE LA COLLABORATION

- **Collaborer**

  Δ   Œuvre commune;

  Δ   Reconnaissance du mérite de chacun;

  Δ   Ouverture au travail d'équipe.

- **Bases de la collaboration**

  Δ   Confiance attentive et réciproque;

  Δ   Attitude et comportement favorables;

  Δ   Réflexe du « doute éveillé ».

- **Éléments d'une saine collaboration**

  Δ   Ouverture d'esprit;

  Δ   Collégialité, appartenance et solidarité;

  Δ   Contact direct, individuel et collectif;

  Δ   Sensibilité aux difficultés mutuelles;

  Δ   Goût des relations internes du groupe.

REMARQUES PERSONNELLES

RECHERCHE DE COMPÉTENCES COMPLÉMENTAIRES

Le contact

Nous entrons régulièrement en contact avec des gens pour établir une relation, à cause de similitudes ou de complémentarités. Le bon sens, l'expérience et l'intuition aident chacun à déceler dans le comportement de l'autre l'appréciation (confirmation ou infirmation) de ce qui est pressenti. Notre comportement lors d'une telle démarche est largement fonction de notre aptitude à écouter, à saisir, à connaître, à comprendre l'autre et à être attentif à ses réactions. La qualité de l'échange sera d'autant plus efficace qu'elle permettra de mieux découvrir les compétences de l'autre et d'y trouver celles qui nous sont complémentaires.

Les relations d'accès aux autres

Chacun désire être traité individuellement, c'est-à-dire être considéré comme un être unique, différent de tous les autres, une personne qui a sa manière propre de penser, de sentir, d'agir et de réagir. Pour faciliter une telle accessibilité aux autres, il est avantageux de:

Δ Maîtriser son dossier;

Δ Choisir le moment opportun lors du premier contact pour exposer son projet;

Δ Se montrer sensible mais réservé, attentif mais discret et parfois prudent devant la première impression (sympathie ou antipathie, préjugés, ou toute autre émotion sur laquelle on s'appuie souvent pour juger quelqu'un, etc.);

REMARQUES PERSONNELLES

Δ   Observer les traits de personnalité de l'autre: valeurs; réactions à l'égard de personnes, de choses ou de situations problématiques; motivations profondes qui les personnalisent, qui les distinguent des autres; rôles dans la vie sociale et professionnelle; possibilités de bonne entente (différences de mentalité, niveau de langage, etc.);

Δ   Laisser percevoir qu'on aime son travail, qu'on sait pourquoi on le fait et qu'on a accompli de bons coups dans sa vie, enfin, qu'on joue gagnant ou gagnante...

Comment connaître la compétence des autres?

Pour découvrir l'autre, reconnaître ses habiletés, ses qualités, ses forces, sa compétence, considérons les dix grandes variables incluses dans les questions suivantes:

1° Quelles sont ses **valeurs d'actions** (motivations, croyances, convictions, intérêts, goûts, tendances, aspirations, etc.)?

2° Quels sont ses **antécédents,** sa préparation (scolarité, expériences, réalisations, succès, échecs, vision du futur, etc.)?

3° Quel est son **milieu de vie** (famille, amis, collègues, etc.)?

4° Quel est son **degré d'écoute** (auditif ou visuel; calme ou stressé; attentif ou distrait; réceptif ou passif; ouvert ou fermé; sait-il se taire au bon moment ou préfère-t-il l'interférence, le commérage? possède-t-il du jugement? etc.)?

5° Comment utilise-t-il ses **acquis** (savoir, savoir-faire, savoir-être)?

REMARQUES PERSONNELLES

6° Quelle est sa **façon de voir les choses**? (esprit positif ou négatif, optimiste ou pessimiste, souple et réaliste ou rigide et farfelu, tourné vers l'avenir ou vivant dans le passé, etc.)?

7° Sait-il où il va? Quels sont ses **rêves**, ses **projets**, ses **ambitions profondes**? Comment entrevoit-il de les accomplir?

8° Quelle est sa **capacité d'adaptation**? Comment agit-il ou réagit-il face à des situations problématiques?

9° Quel est son **mode de vie**?

10° Que dit-il de lui, des autres et des choses? A-t-il une **mentalité** de gagnant ou de perdant?

Avec une telle diversité de questions pertinentes, l'information obtenue vous fournira suffisamment de bons indices pour reconnaître les forces et les faiblesses des gens avec qui vous voulez faire équipe. Après avoir réfléchi sur le « quoi faire » et avoir répondu au « comment faire », vous bâtirez ainsi une équipe plus solide. Être sensible à ces grandes dimensions de l'être humain constitue une des clefs d'or des équipes gagnantes. Et, comme nous le rappelle le ratio populaire *20/80*, emprunté à Pareto, *20% de réflexion permet d'économiser 80% de temps en efforts de toutes sortes.*

RECHERCHE DE COMPÉTENCES COMPLÉMENTAIRES

- **Contact avec les autres**

  △ recherche de compétences :
  - √ bon sens;
  - √ expérience;
  - √ intuition.

- **Accès aux autres**

  △ maîtrise de son projet;

  △ choix du moment opportun;

  △ réciprocité, collaboration, clarification des rôles.

- **Découverte de la compétence des autres**

  △ valeurs d'action, convictions, opinions, motivations, habiletés;

  △ milieu de vie (entourage professionnel et social);

  △ antécédents (scolarité, réalisations, vision du futur);

  △ communication, écoute, qualité de vie;

  △ utilisation des acquis dans l'action;

  △ actions et réactions face à des situations problématiques;

  △ mentalité (gagnant ou perdant).

REMARQUES PERSONNELLES

7

IMPORTANCE DE L'ÉCOUTE

Savoir écouter exige une discipline de tous les instants. Cette disposition d'esprit constitue une valeur d'action fondamentale, un moteur important du développement et une preuve de l'intérêt porté à l'opinion d'autrui. Écouter, c'est agir, c'est d'abord faire l'effort de se taire pour entendre l'autre.

L'écoute permet de décupler les qualités et les forces d'échange dans la communication avec l'autre. Ces gestes peuvent prendre différentes formes. En voici quelques-unes:

Δ   l'ouverture à l'autre

Δ   le préjugé favorable

Δ   la disponibilité

Δ   la sensibilité à ses signaux

Δ   l'attention à ses idées, à ses remarques

Δ   le calme

Δ   l'objectivité dans la discussion

Δ   l'effort mutuel de compréhension

Δ   la perception des points de vue

Δ   le maintien de l'intérêt

Δ   l'expression de curiosité...

Dans tout dialogue, chacun à tour de rôle doit être un bon émetteur de messages et un bon récepteur, en quête d'une réponse ou d'une solution satisfaisante sans jamais chercher pour autant à avoir le dernier mot.

REMARQUES PERSONNELLES

De plus, il est bon de noter que, lorsque l'émotivité et les intérêts sont contrariés, chacun est porté à devenir le jouet de son humeur et de sa spontanéité. La lucidité de l'individu est alors affectée, elle diminue.

Cette situation risque de déclencher des jugements sur l'autre d'après une vision exclusive des choses, dans le style : « Mais voyons, c'est évident ! » À l'inverse, l'ouverture d'esprit que crée l'écoute permet une plus grande compréhension des besoins et des aspirations de l'autre, une meilleure communication et une meilleure entente entre les personnes, et surtout, une occasion d'apprendre, de comprendre davantage et plus rapidement. L'écoute confirme l'importance qu'on reconnaît au client et le respect qu'on lui doit.

Ernest Dupuy, consultant en communication, souligne dans ses propos sur « La dynamique du dialogue » que la contribution verbale (les mots eux-mêmes) dans un échange n'est que de 7%…, l'activité faciale (regards, mimiques, sourires, gestes, etc.) compte pour 55%…, et l'activité vocale (intensité de la voix, débit, tonalité, timbre, etc.) pour 38%.

Vérifions l'exactitude de ces données en nous remémorant le succès ou l'insuccès d'un dialogue récent.

RÉSUMÉ 7

IMPORTANCE DE L'ÉCOUTE

- **Disposition d'esprit vis-à-vis d'autrui**

  Δ   ouverture;

  Δ   attention;

  Δ   calme;

  Δ   objectivité;

  Δ   intérêt.

- **Confirmation que l'autre aussi est important et qu'on le respecte**

REMARQUES PERSONNELLES

8

MAÎTRISE DE SOI

Apprendre à mieux se maîtriser, à demeurer calme, à être sensible aux autres. Mais pourquoi et comment?

Qu'est-ce que la maîtrise de soi?

La maîtrise de soi est la qualité d'une personne qui ne change pas brusquement ou radicalement d'humeur, qui demeure généralement sereine, même si elle est contrariée, et qui garde son calme.

Le calme intérieur est la manifestation d'une paix de l'esprit, un sentiment de satisfaction, le résultat d'une pensée positive. À l'extérieur, il s'exprime par la réaction du corps : air serein ou posé, allure de tranquillité, sans agitation ni emportement, etc.

Pourquoi perdre la maîtrise de soi?

Est-ce :

√ le trop peu de réflexion, le manque de planification?

√ la tendance à attendre à la dernière minute?

√ le manque de confiance en soi-même, la crainte de n'être pas à la hauteur de ses devoirs et responsabilités, la peur de l'authenticité?

√ la fatigue physique ou nerveuse, une contrariété, la précipitation?

√ la pression exercée sur soi et autour de soi par des gens, des événements?

√ le désordre environnant?

√ l'attitude provocante ou négative (critique, insécurité, indifférence)?

REMARQUES PERSONNELLES

√ le manque de sang-froid face à l'inattendu, à l'imprévu, au changement?

√ l'insatisfaction ou le malaise personnel qu'on reporte inconsciemment sur les autres?

Comment conserver la maîtrise de soi?

√ En faisant disparaître la tension inutile. D'où la nécessité :

∞ d'analyser ses émotions, d'éviter de dramatiser les faits et de s'en faire au sujet d'événements qui, peut-être, ne se produiront pas;

∞ de se donner du temps avant d'arrêter une ligne de conduite définitive, de réfléchir par écrit;

∞ de se rappeler fréquemment que:

— le calme permet de garder une vue d'ensemble sur les événements et d'apprécier ceux-ci plus objectivement;

— l'ordre favorise l'acquisition et le maintien du contrôle de soi.

√ En cherchant à dominer la situation par:

∞ une prise de conscience et le contrôle de ses émotions, de ses attitudes, de ses comportements, de ses gestes et de ses paroles;

∞ une approche factuelle;

∞ la concentration, l'effort soutenu pour conserver son sang-froid et l'application à soi-même des conseils qu'on adresserait dans un cas analogue à une tierce personne (autosuggestion).

Ainsi, en demeurant calme, on perçoit mieux les choses telles qu'elles sont. Notre jugement, nos actions, nos décisions sont moins dérangés. C'est la caractéristique de la maîtrise de soi.

RÉSUMÉ 8

MAÎTRISE DE SOI

- **Calme**
  - Δ Stabilité dans les comportements et les réactions pour une meilleure perception des choses et de l'environnement.

- **Contrôle**
  - Δ Des sources de perturbation :
    - √ Manque de confiance;
    - √ Précipitation;
    - √ Fatigue;
    - √ Peurs, pressions de l'environnement, insécurité;
    - √ Sentiment de rejet;
    - √ Manque de sang-froid;
    - √ Projection de ses insatisfactions.

  - Δ De la situation :
    - √ Élimination de la tension inutile;
    - √ Réflexion, objectivité, sélectivité;
    - √ Perception exacte des choses;
    - √ Contrôle de soi-même (« self-control »);
    - √ Approche factuelle;
    - √ Autosuggestion positive;
    - √ Réalisme.

Troisième porte

ASSURER LA SANTÉ DE SON PROJET

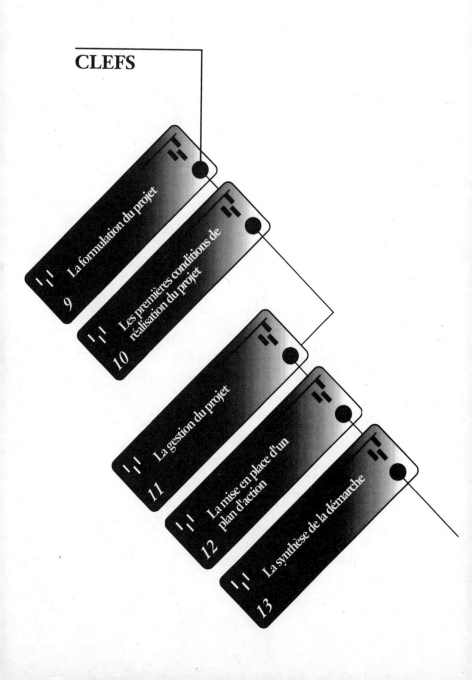

CLEFS

9 — La formulation du projet

10 — Les premières conditions de réalisation du projet

11 — La gestion du projet

12 — La mise en place d'un plan d'action

13 — La synthèse de la démarche

REMARQUES PERSONNELLES

ASSURER LA SANTÉ DE SON PROJET

« ...Hâtez-vous lentement; et, sans perdre courage,
<u>Vingt fois sur le métier remettez votre ouvrage:</u>
Polissez-le sans cesse et le repolissez;
Ajoutez quelques fois, et souvent effacez... »

Boileau

FORMULATION DU PROJET

Quel est le projet?

Un projet est avant tout le désir ressenti de réalisation de quelque chose pour le mieux-être des autres et de soi-même. Il provient généralement d'une idée, d'un besoin à satisfaire, d'une situation qu'on se propose de résoudre, d'un objectif qu'on veut atteindre ou d'une construction qu'on veut mener à bonne fin. Il concerne la production d'un bien ou d'un service, la création ou le perfectionnement d'une technique, ou encore, la recherche d'un nouveau procédé ou d'une nouvelle dynamique. Il comporte trois étapes fondamentales : le concevoir, le vouloir et l'entreprendre.

Tout projet implique une suite d'activités à mettre en ordre de priorité et à réaliser: clarification de l'idée, précision des objectifs, préparation d'un plan d'action pour guider le travail. Ce dernier inclut les grandes étapes, les moyens requis (ressources humaines, technologiques, financières, matérielles et informationnelles) et un échéancier pour mener à bien le projet .

REMARQUES PERSONNELLES

Les éclairages fournis par cet ensemble de démarches relatives à la recherche d'informations de base permettent d'obtenir les données du problème, de formuler le projet et de s'assurer d'une meilleure mise en œuvre de moyens efficaces pour réaliser ledit projet.

Quelles sont les étapes de réalisation du projet?

Réaliser un projet c'est comme organiser un grand voyage. Il faut d'abord décider où on veut aller (définir son itinéraire), déterminer quelles sont les principales étapes à franchir pour s'y rendre (déterminer les endroits où s'arrêter et les routes à prendre) et établir le budget nécessaire. Il en est de même lors de l'élaboration d'un projet. Il faut d'abord clarifier ce qu'on veut réaliser, exprimer de façon précise, mesurable et réaliste le(s) résultat(s) qu'on veut atteindre et établir comment on compte le faire : définir l'idée maîtresse, indiquer à qui s'adresse le projet, identifier les besoins des utilisateurs, prévoir les grandes étapes à franchir et, pour chacune d'elle, décider des opérations inhérentes et estimer leurs coûts approximatifs, enfin, coordonner l'ensemble des actions nécessaires à sa réalisation.

Prenons un exemple...

Imaginez que vous êtes propriétaire d'une grande entreprise déjà établie et que vous désirez ouvrir une bibliothèque pour les employés! Comment vous y prendrez-vous? Quels seront l'idée maîtresse, la clientèle cible et ses besoins, les principales étapes de réalisation, les opérations inhérentes à chacune d'elles, les possibilités concrètes d'investissements, etc.?

Nous vous proposons dans les lignes qui suivent une démarche concrète d'élaboration d'un projet. Nos suggestions vous sont fournies à titre indicatif; vos idées pourront être semblables, différentes ou complémentaires aux nôtres.

REMARQUES PERSONNELLES

1. **Quel est le projet à réaliser?**

△ Mettre sur pied une bibliothèque pour les employés.

2. **Quelles sont les grandes étapes de sa formulation?**

1re étape:

> FAIRE L'ÉTUDE DES PRÉALABLES :
> CARACTÉRISTIQUES, BESOINS ET
> RESSOURCES DE L'ENTREPRISE

△ **Nature** de l'entreprise (taille, âge, rythme de développement), secteurs d'activités et environnement (économique, humain, légal, politique, social, culturel et technologique), et clarification de ce qui a donné naissance au projet;

△ **Envergure** : nombre et répartition des catégories d'employés; enquête sur leurs besoins et ceux qui pourraient être comblés par une bibliothèque;

△ **Nécessité** d'une bibliothèque à l'intérieur de l'entreprise :

√ Est-ce un moyen ou un objectif?

√ Pourquoi mettre sur pied une bibliothèque? (Est-ce pour la formation du personnel? Est-ce pour disposer d'informations additionnelles sur le travail? Est-ce pour développer l'entreprise? Est-ce pour offrir un service supplémentaire aux employés? etc.)

√ À qui s'adresse-t-elle?

△ **But** de ce nouveau service dans l'entreprise :

√ Bibliothèque spécialisée? oui - non

√ Bibliothèque de loisir? oui - non

√ Ou les deux? oui - non

REMARQUES PERSONNELLES

Δ Détermination d'**endroits** faciles d'accès;

Δ **Utilisation**: calcul approximatif en pourcentage du nombre présumé d'utilisateurs internes et externes selon leur scolarité;

Δ Estimation de la **rentabilité** ou non du projet.

Des réponses à ces préalables dépendront l'orientation de la bibliothèque et la plupart des autres décisions: genre de bibliothèque, lieu, espace alloué, types de services offerts (besoins des utilisateurs), personnel requis, etc.

2e étape :

CHOISIR DE POURSUIVRE OU NON
LE PROJET

Δ Si les informations obtenues dans le questionnement qui précède nous indiquent la non-nécessité d'implanter une bibliothèque à l'intérieur de l'entreprise, envisageons d'autres hypothèses, dont celle d'analyser l'environnement externe de l'entreprise pour voir s'il existe des bibliothèques accessibles dans les environs.

Δ Si au contraire on incline à offrir ce service, il faut pousser plus loin l'investigation.

3e étape:

ANALYSER LES CONDITIONS QUI VONT
PERMETTRE LE SUCCÈS DU PROJET

Δ **Le personnel qualifié**
Pour établir les besoins en personnel, il faut évaluer la fréquentation probable de l'ensemble des utilisateurs, déterminer le personnel requis à l'achat, au prêt, au traitement matériel de la collection, etc.;

REMARQUES PERSONNELLES

∆ **Le choix et les catégories de volumes**
Pour évaluer les besoins en ouvrages généraux et spécialisés (ex. : livres de références, revues, etc.), catalogues et volumes divers, audio-visuel (vidéo-cassettes entre autres), il faut se référer à des gens qui s'y connaissent, capables de maintenir les collections à jour et de choisir les meilleurs volumes.

∆ **La localisation appropriée et l'espace nécessaire**
Pour bien localiser la bibliothèque et bien déterminer l'espace nécessaire, il faut connaître les concentrations de personnel, la circulation des usagers, leurs habitudes, leur profil (sexe, âge, culture, scolarité, statut, revenu, langue, profession, etc.); prévoir le rayonnage, le bureau d'accueil, les dimensions d'une salle de rangement, des locaux de consultation et de lecture, du local réservé au personnel technique, etc.

∆ **Le fonctionnement**
Pour faciliter l'accès aux volumes, il faudra disposer d'un comptoir d'accueil, d'étagères, etc.; définir un mode de fonctionnement; établir différentes politiques (de développement, d'acquisition, de prêt, etc.); penser à un système informatique intégré de codification, de fiches de prêt, etc.

∆ **Les coûts**
Pour se faire une idée des coûts, il faut évaluer le loyer (au pied carré), l'aménagement (disposition des étagères, accessibilité); les équipements et l'ameublement (tables de consultation, bureaux pour le personnel, machines à écrire, ordinateur(s); les classeurs, téléphones, lignes informatiques, etc.); le système d'humidification; l'espace d'agrandissement et de développement; l'achat, l'entretien, la réparation et le traitement des volumes; les pertes éventuelles de volumes et leur remplacement; les salaires et autres dépenses connexes; etc.

REMARQUES PERSONNELLES

Les réponses sur tous ces aspects importants du projet pourront donner un aperçu :

Δ des dépenses approximatives en regard des possibilités financières;

Δ des avantages réels ou fictifs du rendement escompté;

Δ de la faisabilité matérielle et financière d'un tel projet à court ou à long terme.

Ce projet de bibliothèque, si alléchant soit-il, n'est pas le but ultime de l'entreprise qui l'accepte; il reste un moyen. Ce moyen est-il raisonnable? Utile? Nécessaire? Indispensable? C'est tout cela qu'il faut peser et soupeser.

Le processus précédemment décrit peut vous servir de base et vous inspirer dans la formulation de tout autre projet. Appliquez-le. Enrichissez-le.

Dans les prochaines clefs, nous verrons la suite du questionnement : la poursuite de la réponse au « pourquoi », les objectifs, les principaux éléments d'un cadre de fonctionnement et la structuration d'un plan d'action.

RÉSUMÉ 9

FORMULATION DU PROJET

- **Clarifier**

  Δ   Ce qu'on veut faire :

  √   Description sommaire du projet.

- **Établir**

  Δ   Ce qu'on peut faire :

  √   Identification et analyse des préalables.

- **Décider**

  Δ   Si on va faire le projet;

  Δ   Comment on va le faire :

  √   Examen des aspects importants du projet.

REMARQUES PERSONNELLES

PREMIÈRES CONDITIONS DE RÉALISATION DU PROJET

Pour concrétiser le projet retenu, il y a des préalables à sa mise en œuvre. Il y a d'abord les réponses à obtenir sur le « pourquoi le faire » (informations obtenues à la clef 9), la détermination d'objectifs précis, quantifiables et réalisables (examinée ici à la clef 10), et la mise en place ultérieure d'un plan d'action (traitée à la clef 12).

POURQUOI SE FIXER DES OBJECTIFS?

Nous avons tous un objectif commun : BIEN VIVRE et ÊTRE HEUREUX. Les moyens utilisés pour atteindre cet objectif sont très diversifiés parce que personnalisés et individualisés (âge, expérience, scolarité, talents, ressources financières, relations sociales, travail, environnement, etc.). Pour donner vie à ses rêves, pour réaliser un projet, pour devenir ce qu'on espère être, il faut s'arrêter, prendre du temps pour réfléchir, se donner des objectifs intermédiaires à atteindre. Autrement dit, il faut savoir qui on est pour déterminer ce qu'on veut devenir.

Ceux qui accumulent les succès utilisent régulièrement leur imagination. Ils ont une liste permanente de projets à accomplir, qu'ils révisent et réordonnent régulièrement. Il en est de même pour la ou les facettes de leur personnalité à améliorer, les mauvaises habitudes à corriger, les nouveaux talents à développer (peinture, musique, sport, rédaction, cinéma, etc.) ou tout autre désir légitime à combler (automobile, maison, bateau, piscine, mobilier, voyage, restaurant, etc.).

REMARQUES PERSONNELLES

L'être humain a presque toujours la possibilité de recommencer à neuf. Chaque jour est un nouveau commencement. Le passé est source d'expérience. Le présent vous appartient. Et, pour l'avenir, je pense au mot de Jean Guitton : « Le présent, qu'est-ce, si ce n'est le passé de l'avenir? » Réfléchissez-y. Préparez-vous. Fixez-vous des objectifs. Dressez des plans. Révisez-les régulièrement.

Rappelez-vous que les changements qui vont se produire en vous seront principalement ceux que vous vous serez fixés. Ces objectifs, travaillez-y jusqu'à ce qu'ils deviennent réalité. Souvenez-vous qu'ils vous aident à imaginer l'avenir, qu'ils tracent les routes à suivre, qu'ils relient les éléments disparates, qu'ils stimulent votre créativité, votre imagination et qu'ils peuvent susciter de fécondes occasions de réussir.

Pour combler des attentes, accomplir des projets et les mener à bien, il faut se donner du temps pour réfléchir, entreprendre des actions, être curieux (se questionner et questionner les autres), utiliser son imagination et sa créativité… de façon plus structurée, plus systématique. Par exemple,

√ Identifier ses chances personnelles de réussite ;

√ Donner un sens à ses rêves, à sa vie : préciser ce qu'on a rêvé d'accomplir au cours de sa vie, peu importe son âge (*nous devenons ce que nous pensons le plus être capable d'être, de faire*). Bâtir son plan de vie (écrire ce qu'on peut faire, ce qu'on aime faire et ce qu'on veut faire). Ce plan vous sécurisera, tout en vous laissant une place pour l'ouverture à l'imprévu. Travaillez-le, vous connaîtrez plus de joies, de plaisirs et vous savourerez ainsi davantage votre quotidienneté; votre qualité de vie en sera améliorée. La réussite dépend de ce que vous considérez comme important pour vous;

REMARQUES PERSONNELLES

√ Traduire maintenant ses rêves en des objectifs personnels qui cadrent avec son échelle de valeurs, ses exigences et ses propres besoins. Clarifier son « soi-même », s'observer dans l'action. Établir où on en est dans son « Qui suis-je? », « Qu'ai-je réalisé? », « Où vais-je? ». Plus on précisera ce bilan personnel dans les domaines financier, professionnel, intellectuel, culturel et spirituel, plus la confiance en soi se développera, mieux on atteindra ses objectifs. Écrire ce plan de vie en termes d'actions (résultats à atteindre), se donner des échéances et les classer par ordre de priorité : voilà trois défis à relever. Une vision claire de son projet et de son processus de réalisation fournira l'énergie nécessaire à la poursuite des efforts;

√ Croire en la valeur de son idée, de son projet, n'enlève pas le courage de se remettre en question. Le désir sincère et ardent d'accomplissement permet de passer du niveau « souhait » au niveau « concret », du désir à l'action. Il n'en tient qu'à soi de se réaliser pleinement.

QU'EST-CE QU'UN OBJECTIF?

Un objectif identifie un résultat désiré (cible) à partir d'une situation qu'on cherche à améliorer ou à créer. L'objectif énonce clairement le résultat qu'on vise. Les critères d'évaluation périodique permettent de savoir si un objectif d'étape est réellement atteint; sinon, il faudra rectifier la visée vers le but ultime.

Comment se fixer des objectifs?

Δ Énumérer la liste de tout ce qu'on veut obtenir (posséder) et devenir (être);

Δ Faire un choix parmi cette liste de possibilités et les placer par ordre d'importance;

REMARQUES PERSONNELLES

△ Identifier les objectifs à long, à moyen et à court terme (ce choix peut se subdiviser en objectifs généraux, intermédiaires et opérationnels);

△ Sur le terrain, déterminer les activités qui concourent à l'atteinte de chacun des objectifs intermédiaires; préciser concrètement tel geste à tel moment, telle action à telle occasion, etc.;

△ Choisir les activités, les classer par ordre de priorité et définir des mandats.

Quelles sont les principales caractéristiques d'un objectif?

Tout objectif doit être:

- centré sur un résultat précis à atteindre;
- fixé pour une période donnée;
- évaluable sur les plans qualitatif et quantitatif.

Sa formulation doit être:

- claire et concise;
- motivante;
- réaliste.

Ces caractéristiques seront plus ou moins mises en évidence selon qu'on parle d'objectifs généraux à long terme ou d'objectifs intermédiaires à moyen et à court terme. Par exemple, les objectifs généraux s'évaluent davantage au plan qualitatif et les objectifs intermédiaires surtout au plan quantitatif.

Rappelons-nous que le succès est l'objectif final. Pour savoir s'il y a un progrès, il faut pouvoir compter sur des bornes identifiables. Ces bornes ne sont rien d'autre que les objectifs et sous-objectifs qu'on s'est fixés pour obtenir des résultats, atteindre le succès… réussir.

REMARQUES PERSONNELLES

L'autodiscipline et le suivi de son plan, quels que soient les obstacles, les critiques ou les circonstances et malgré ce que les autres peuvent dire, penser ou faire, demeurent des outils indispensables dans la poursuite de ses réalisations. Prenez la place qui vous revient. Chacun est maître de sa destinée, libre et responsable de ses choix.

RÉSUMÉ 10

PREMIÈRES CONDITIONS DE RÉALISATION DU PROJET

- **Répondre au « pourquoi » du projet**

- **Fixer les objectifs**

  Δ   Identification des résultats désirés;

  Δ   Formulation claire et réaliste;

  Δ   Classification à court, à moyen et à long terme;

  Δ   Détermination des activités à prévoir;

  Δ   Choix et ordre de priorité.

- **Définir des mandats**

REMARQUES PERSONNELLES

11

GESTION DU PROJET

La façon de diriger d'un chef d'entreprise se répercute sur ses propres moyens d'action dans la société, engendre chez lui une réflexion efficace et se traduit par une amélioration de sa qualité de vie grâce à la création du produit commercialisé ou du service offert, dont les retombées provoquent un développement social.

Ainsi donc, l'entreprise devient partie intégrante d'une réalité humaine enrichie. Elle rend plus productif le savoir humain, permettant à chacun d'étendre son potentiel d'énergie créatrice. Elle devient une cellule économique à la fois rentable, efficace et dynamique.

Par le fait même, la gestion de l'entreprise relève essentiellement de l'humain, dans son sens le plus noble. C'est pour le dirigeant d'entreprise une façon de tenir bien en main toutes les composantes de son entreprise, d'y organiser les activités, la communication et la participation, de voir à la détermination des objectifs, de bâtir des stratégies d'action. La réussite de la gestion se fonde donc selon nous sur l'importance accordée à la valorisation des personnes, à l'initiative, à la créativité et à l'innovation; à la planification de l'entreprise; et à la délégation judicieuse des pouvoirs et des responsabilités.

Les projets amènent plusieurs personnes à collaborer. Ainsi, dans un projet d'entreprise, deux grands aspects sont à considérer : les personnes et le cadre de fonctionnement (les étapes de la gestion).

REMARQUES PERSONNELLES

- *Les personnes*

  Il s'agit de trois types d'acteurs :

  Δ **les actionnaires** (ceux et celles qui ont investi dans l'entreprise pour en retirer un profit);

  Δ **le conseil d'administration** ou tout autre **comité de gestion** qui détermine la structure organisationnelle (ceux et celles qui sont mandatés pour définir les grandes orientations de l'entreprise, faire les choix stratégiques, analyser l'organisation, son administration et son fonctionnement, et qui suivront son évolution);

  Δ **le personnel** cadre, professionnel et de soutien (ceux et celles qui assurent la mise en marche, le fonctionnement et l'exécution du travail dans le sens des objectifs à atteindre).

- *Les étapes de la gestion*

  Pour mieux faire agir ces personnes suivant la même orientation, l'entreprise se référera régulièrement à son cadre d'action défini par les cinq principales étapes de la gestion :

  1° *La planification*

  Planifier, c'est d'abord établir des objectifs stratégiques, évaluer les chances de succès, déterminer un cadre précis de travail, c'est-à-dire effectuer un exercice de prospective qui aboutit à l'élaboration d'actions possibles à mettre en œuvre, en considérant les besoins de la clientèle et en tenant compte des ressources disponibles.

  Concrètement, c'est :

  Δ **déterminer et mettre au point des objectifs correspondant aux besoins et établir un plan d'action en vue de la réalisation de ces objectifs;**

  Δ **mettre en ordre les activités à déployer pour obtenir les résultats souhaités.**

  Δ **choisir des priorités d'action;**

REMARQUES PERSONNELLES

L'étape « planification » consiste à définir et à préciser la mission, les buts et les objectifs, à élaborer des plans d'action et l'échéancier, à déterminer les ressources et les efforts en vue de réaliser ce qu'on veut faire. Une bonne gestion commence par la planification.

2° *L'organisation*

Organiser, c'est identifier les éléments du travail, les mettre en place et mobiliser les ressources financières, humaines, matérielles et informationnelles nécessaires en vue d'un meilleur rendement.

Concrètement, c'est :

Δ **établir les meilleurs moyens, les plus simples, les plus efficaces et les plus rapides pour résoudre les problèmes et atteindre les objectifs fixés;**

Δ **voir à la répartition des tâches, à l'attribution des responsabilités et à la coordination des activités au sein de l'entreprise.**

L'étape « organisation » consiste à distribuer le travail en tâches individuelles et à mettre en relation les personnes et les groupes responsables du travail à effectuer (les mandats).

3° *La direction*

Diriger, c'est mettre à l'œuvre les personnes en place dans le travail qu'on a planifié et organisé, grâce à des délégations opportunes et judicieuses. C'est aussi assurer la cohérence, établir des relations entre les membres de l'équipe, orienter, guider, motiver, mener à bien les opérations courantes et suivre leur évolution.

Concrètement, c'est :

Δ **conduire les actions appropriées dans la gestion des ressources humaines, matérielles, financières et informationnelles, en vue de répondre aussi bien aux besoins organisationnels qu'aux besoins individuels.**

REMARQUES PERSONNELLES

L'étape « direction » comprend l'ensemble des stimulants nécessaires pour motiver les membres de l'organisation et permettre d'effectuer le travail à faire. Elle est rattachée aux autres étapes de la gestion par des activités complémentaires qui déterminent les attitudes et les comportements des gestionnaires : la coordination, l'animation, la formation, la participation et le leadership.

4° *Le contrôle*

Contrôler, c'est établir des critères d'efficacité, observer les résultats des opérations, recueillir les renseignements à cet égard.

Concrètement, c'est :

Δ **surveiller le déroulement des activités opérationnelles et les faire converger dans le temps en fonction des objectifs intermédiaires;**

Δ **s'assurer que soit exacte et fiable la représentation qui est donnée des résultats obtenus, financiers ou opérationnels;**

L'étape « contrôle » englobe l'ensemble des mécanismes administratifs. Elle vise à assurer le bon fonctionnement des activités et la vérification entre ce qui est et ce qui avait été établi aux plans et objectifs fixés préalablement.

5° *L'évaluation*

Évaluer, c'est analyser les résultats, le rendement, la performance, en expliquant l'écart entre les résultats obtenus et les résultats désirés, afin de vérifier le degré de réalisation des objectifs, de prendre les mesures appropriées pour apporter des correctifs si nécessaire au niveau concerné.

Concrètement, c'est :

Δ **examiner les résultats de la collecte et de l'analyse des données;**

REMARQUES PERSONNELLES

Δ   **les interpréter, c'est-à-dire porter des jugements
    sur l'efficacité ou la non-efficacité des activités et
    du personnel;**

Δ   **fournir des éléments de réponse sur les objectifs
    visés, sur leur pertinence et sur leur impact (effets
    prévus et imprévus), sur la clientèle visée, par rap-
    port aux attentes et à l'efficacité de l'ensemble;**

Δ   **éclairer les décisions touchant les grandes orien-
    tations de l'entreprise et les choix budgétaires;**

Δ   **soutenir directement les activités de planification
    en vue d'aider à une meilleure prise de décision
    ultérieure dans l'entreprise.**

L'étape « évaluation » permet d'éclaircir particulièrement
deux questions : « Fait-on les bonnes choses? » et « Fait-
on bien les choses? », communément appelées l'efficacité
et l'efficience. Tandis que les activités de contrôle sont
presque continues, les activités d'évaluation sont plutôt
périodiques, plus ou moins fréquentes selon l'étape, l'opé-
ration ou l'activité à évaluer.

Voilà un tour d'horizon rapide sur les principales composantes de la gestion. C'est une vision conceptuelle de la fonction
« administrative » où sont décrits les principaux acteurs d'un
projet et les principales étapes de la gestion constituant le cadre
de fonctionnement. Il serait intéressant que chacun établisse, en
pourcentage, de quelle façon les gestes qu'il accomplit comme
décideur au cours d'une année se répartissent entre ces cinq étapes
complémentaires de la gestion. Il prendra ainsi conscience de ses
points forts en gestion et de ses besoins en termes de complémentarité.

REMARQUES PERSONNELLES

Il faut planifier pour mieux s'organiser et s'organiser pour mieux développer son entreprise. L'administration quotidienne ne se conçoit pas d'une façon rigide ou séquentielle, mais plutôt d'une façon dynamique où les personnes et les concepts s'inter-influencent et où le fonctionnement exige de plus en plus une approche globale et systémique. Pour que cet ensemble de données de la gestion ne demeure pas un exercice théorique, un bel encadrement, un beau processus de transformation, il faut la participation de tous et l'application habile de ces concepts par des responsables en place, pour influencer ceux et celles qui ont à exécuter les tâches, pour les aider à savoir où ils vont. Comme on a pu le constater, la gestion d'une entreprise porte donc sur la dynamique d'ensemble des personnes réfléchissant et agissant sur les activités et les opérations dans l'entreprise.

RÉSUMÉ 11

GESTION DU PROJET

- **Gestion**

  Δ   Utilisation optimale des ressources disponibles.

- **Fonction « administrative »**

  Δ   Aménagement logique et rationnel de l'entreprise qui tient compte de l'ensemble du personnel et des ressources disponibles, afin d'atteindre l'efficacité recherchée dans le déroulement du projet;

  Δ   Concernant :

   √   Trois types de personnes :
   - ∞   les actionnaires;
   - ∞   le conseil d'administration ou tout autre comité de gestion;
   - ∞   le personnel.

   √   Cinq grandes étapes de la gestion :
   - ∞   la planification;
   - ∞   l'organisation;
   - ∞   la direction;
   - ∞   le contrôle;
   - ∞   l'évaluation.

REMARQUES PERSONNELLES

MISE EN PLACE D'UN PLAN D'ACTION

Est-ce vous qui dirigez votre entreprise ou est-ce l'entreprise qui vous dirige?

Comme nous l'avons déjà vu, un projet implique un premier questionnement (les préalables) sur sa nécessité, sa qualité, son coût, son financement, les ressources nécessaires et son échéancier; ensemble d'informations qu'on retrouve généralement dans un plan de développement où, en annexe, on retrouve les études de faisabilité et de rentabilité. Le plan d'action, lui, présente les démarches à entreprendre, détermine le ou les responsables et fixe la date de réalisation. Cet agencement fournit aux responsables opérationnels le cadre de leurs activités. Le plan d'action, c'est le guide, le schéma d'ensemble nécessaire pour élaborer les décisions les plus efficaces et les faire converger vers le bon résultat. Il indique **sur papier** OÙ ON VA et comment on y arrive, comme le tracé d'une route sur une carte géographique.

Voici par exemple un questionnement structuré auquel on peut préalablement se référer pour le développement d'un projet :

△ préciser *ce qu'on a l'intention de faire*;

△ décrire *ce qu'on a véritablement décidé de faire*;

△ consulter pour établir *ce qu'on devrait faire et comment on devrait le faire*;

△ recueillir l'information sur *ce qu'on peut faire*;

△ identifier des solutions, *ce qu'on veut faire*, effectuer des choix, retenir des priorités, déterminer et décider *ce qu'il faut faire*;

REMARQUES PERSONNELLES

Δ   prévoir les critères d'efficacité à établir.

Quand on a répondu au questionnement de base pour déterminer le projet, clarifié la situation de changement souhaité, le **plan d'action** vient préciser généralement sept éléments:

1°   les objectifs communs à atteindre (résultats attendus);

2°   les activités à mettre en œuvre en vue de les atteindre;

3°   l'échéancier (calendrier des activités);

4°   le partage des tâches et des responsabilités (l'allocation des ressources humaines nécessaires, le « qui va faire quoi? ») et l'aménagement des autres types de ressources (matérielles, technologiques, financières et informationnelles);

5°   le contrôle (« feedback » observé régulièrement – vérification continue du déroulement des activités – constat des écarts entre ce qui a été accompli et ce qui était attendu ou prévu, c'est-à-dire les objectifs);

6°   l'évaluation des résultats (analyse et, si nécessaire, explication des raisons des écarts, en comparant « *ce qui a été fait* » avec « *ce qui aurait dû être fait* »);

7°   le suivi (regards fréquents sur le plan d'action pour répondre aux ajustements nécessités par l'apparition de situations nouvelles non prévues dans le plan, et application de correctifs, s'il y a lieu).

Pour ne pas demeurer au niveau du rêve, au niveau des « vœux pieux », un plan d'action devient l'outil de gestion indispensable s'il produit l'effet de synergie, la confiance en soi et permet une meilleure maîtrise de son projet. Voilà pourquoi il est nécessaire de se donner du temps pour réfléchir, de traduire ses idées en actions, d'en choisir, de les répartir en priorités et de les arrêter dans le temps, c'est-à-dire de déterminer une date pour leur exécution.

MISE EN PLACE D'UN PLAN D'ACTION

• **Nécessité**

Δ   d'un cadre des activités;

Δ   de le mettre sur papier.

• **Schéma d'un plan d'action**

Δ   objectifs du projet;

Δ   activités pour les atteindre;

Δ   échéancier pour chacune des activités;

Δ   partage des tâches et aménagement des ressources;

Δ   établissement d'un ou de plusieurs moyens de contrôle;

Δ   évaluation pour corriger les écarts;

Δ   mécanismes ou calendrier du suivi.

REMARQUES PERSONNELLES

SYNTHÈSE DE LA DÉMARCHE

Chacune des douze clefs précédentes est utile et néces-saire préalablement à la mise en chantier d'un projet. Cette treizième clef veut refléter cette vision d'ensemble, cette syn-thèse qu'on retrouve chez tout entrepreneur qui a réussi : il a conçu, voulu et entrepris son projet jusqu'à son aboutissement.

Comme la préparation d'une expédition...

Une expédition, quelle qu'elle soit, exige une planifica-tion précise et sérieuse. L'explorateur cherchant les moyens d'atteindre son but s'appuie d'abord sur ses possibilités person-nelles, recueille les connaissances relatives à son projet, conçoit une première ébauche et essaie d'obtenir la collaboration d'ex-perts et de réunir toutes les ressources nécessaires à sa réalisa-tion. Maintes fois, au long de son chemin, il doit s'arrêter, se poser des questions, décider, entreprendre et mesurer la dis-tance parcourue et à parcourir pour atteindre le but qu'il s'était fixé. Ainsi, chacun doit-il procéder dans la réalisation d'un projet particulier.

Pour établir ce qu'il faut chez soi, pour être en harmonie avec soi-même et dans ses rapports avec les autres, on doit con-sidérer d'abord trois préalables consistant en ses compétences personnelles :

1° Connaître les principaux éléments de réussite :

Δ expériences de vie (échecs et succès);

Δ réalisations (scolaires, professionnelles, finan-cières, etc.);

REMARQUES PERSONNELLES

Δ   vision du futur;

2° Établir une cohérence entre ses idées, ses convictions et ses actes (être authentique, « être bien dans sa peau », être vrai);

3° Miser sur ses acquis et apprendre à les gérer par soi-même (recherche d'une plus grande autonomie).

Ayant franchi cette première étape de « mieux se connaître », on doit considérer cinq autres préalables dans la façon de se comporter vis-à-vis des autres, constituant la connaissance de ses besoins en termes de compétences complémentaires et d'ouverture à l'autre :

1° Connaître ce qu'on veut faire et ses raisons d'agir;

2° Savoir qu'être en relation d'échange avec les autres implique la nécessité de collaborer, de travailler ensemble à une œuvre commune, de reconnaître le mérite de chacun;

3° Pouvoir accéder aux autres et identifier des compétences complémentaires, ce qui suppose être attentif à leurs valeurs d'actions, à leurs besoins, à leurs intérêts, à leurs habiletés, à leur manière d'être;

4° Développer son sens de l'écoute, ce qui requiert une disposition d'esprit vis-à-vis d'autrui, un dialogue réel et le respect de l'autre;

5° Savoir se maîtriser en essayant de percevoir les choses telles qu'elles sont : garder son calme, voir à l'élimination de la tension inutile en évitant les sources de perturbation internes et externes (environnantes), et être fier de ce qu'on fait.

REMARQUES PERSONNELLES

Enfin, avant de passer à l'exécution du projet, il faut d'abord penser à le structurer et à clarifier cinq aspects importants :

1° Établir où on va avant d'investir trop de temps, d'énergie et d'argent, c'est-à-dire décrire l'idée, préciser les grands objectifs à atteindre, confirmer l'opportunité de l'entreprendre, établir la qualité recherchée et regrouper l'ensemble des coûts et des sources de financement;

2° Déterminer les trois préalables à la mise en œuvre : répondre au « pourquoi » du projet, se fixer des objectifs réalistes et esquisser un plan d'action (grandes étapes et activités à réaliser);

3° Considérer les personnes en place et chacune des activités de la gestion, et prévoir pour chacune d'elles le rôle des personnes et des ressources disponibles de façon à être efficace dans le déroulement du projet;

4° Préciser l'ensemble sur papier : mettre en forme le plan d'action final;

5° S'approprier les douze clefs précédentes et en faire la synthèse.

Il ne reste plus qu'à valider l'ensemble de ce plan d'action et à **l'entreprendre**.

Les gens qui réussissent savent que, pour parvenir à leurs buts, il faut planifier, obtenir de la collaboration et passer à l'action. En planifiant davantage, vous vous organiserez mieux; en vous organisant mieux, vous serez plus efficace; et en étant plus efficace vous en retirerez davantage de plaisir, de satisfaction et de succès. Je suis un entrepreneur dès que j'entreprends de réussir ma vie.

Rappelez-vous en terminant ce dicton qui souligne l'interdépendance entre les faits et gestes de tout être humain : *ce qu'on **est** et ce qu'on **fait** parlent plus fort que ce qu'on **dit**.*

RÉSUMÉ 13

SYNTHÈSE DE LA DÉMARCHE

- **Qualités personnelles**

  Δ   Expériences de vie, réalisations et vision du futur;

  Δ   Cohérence entre ses idées, ses convictions et ses actions;

  Δ   Utilisation de ses acquis.

- **Relations avec les autres**

  Δ   Motivation, enthousiasme;

  Δ   Collaboration;

  Δ   Complémentarité : valeurs, besoins, intérêts, habiletés, manières d'être;

  Δ   Écoute;

  Δ   Maîtrise de soi.

- **Structuration du projet**

  Δ   Clarification de l'idée maîtresse, explicitation des grands objectifs;

  Δ   Inventaire des grandes étapes et des activités à réaliser;

  Δ   Aménagement des ressources disponibles pour réaliser les diverses activités : impliquer les personnes et appliquer les concepts de la gestion;

  Δ   Mise en forme sur papier du plan d'action;

  Δ   Appropriation de la démarche d'ensemble ayant conduit à l'élaboration du projet.

REMARQUES PERSONNELLES

CONCLUSION

> « Ce qu'on sait, savoir qu'on le sait;
> Ce qu'on ne sait pas, savoir qu'on ne
> le sait pas: c'est savoir vraiment. »
>
> *E.F. Schumacher*

Vingt-cinq ans d'expérience dans différents milieux de travail m'ont amené à observer les structures et le fonctionnement d'entreprises privées et publiques, les centres d'intérêts de groupes et d'individus, les raisons du succès dans bien des cas ou parfois les causes de l'échec. Une question fondamentale me venait fréquemment à l'esprit : *comment expliquer les résultats inégaux d'efforts sincères, de travail acharné, à la suite d'investissements modestes pour les uns, considérables pour les autres?* C'est pour répondre au besoin maintes fois exprimé par plusieurs de regrouper ces observations que le présent livre a été écrit.

Les principaux éléments décrits dans les différentes parties de cet ouvrage constituent à mon avis une trame qui aide à mieux réussir ce qu'on entreprend. Le questionnement permettra à la lectrice et au lecteur d'établir une plus grande cohérence entre ses idées, ses possibilités et sa vision du futur; de mieux se connaître et d'accéder aux autres plus facilement; de développer une meilleure maîtrise de soi; d'être plus attentif aux occasions favorables qui se présentent. Ce cheminement encouragera celle ou celui qui veut se lancer en affaires à préciser sur papier ses véritables besoins et attentes, à structurer et à mieux définir son projet. La vision claire, les décisions d'agir, le travail, la compétence et l'intérêt dans son travail viendront soutenir la gestion des actions quotidiennes. La planification facilitera la tâche de préparer le futur, l'organisation assurera l'agencement social et physique de l'entreprise, la direction favorisera une meilleure relation

REMARQUES PERSONNELLES

entre les personnes et leurs tâches, le contrôle veillera à la bonne marche de l'entreprise vers ses objectifs, et l'évaluation rendra possible l'appréciation des résultats.

La production continuera d'exiger des capitaux, des usines et des outils, mais il faudra surtout des hommes et des femmes pour la réaliser. Les dirigeants des années 90 sauront davantage gérer et déléguer des responsabilités à des personnes de confiance et ayant des compétences complémentaires. Ils élargiront leur perception du monde. Ils s'efforceront de faire converger et d'harmoniser les intérêts personnels, professionnels et organisationnels. Leur haut niveau d'écoute, leurs habiletés de planification, leur attitude de questionnement, leur créativité et leur faculté d'adaptation seront les principaux moyens pour coordonner leurs objectifs personnels et ceux de leur entreprise. Leur poursuite de l'excellence tiendra davantage compte des individus et de leur qualité de vie.

Nous arrivons au terme de notre propos. Ce premier volume d'une série de trois vous incitera, j'en suis certain, à mieux maîtriser votre quotidien et à agir avec plus d'efficacité. Ces treize clefs forment donc un premier trousseau pour connaître davantage le succès. Vous aurez tous et toutes à vous en servir pour ouvrir les nombreuses portes qui donnent accès à la réussite… Vous pouvez déjà projeter de les relire…

Lorsque j'ai commencé, il y a plusieurs années, à élaborer cette démarche *pour mieux réussir ce que j'entreprends*, j'étais loin de m'imaginer à quel point cette réalisation me passionnerait et me fournirait la motivation et l'énergie nécessaires pour me décider à écrire un deuxième ouvrage et même en envisager un troisième!

Voilà complétée cette première étape… Le temps passe très vite… J'aimerais avoir le privilège de poursuivre ce cheminement avec vous dans un deuxième volume où nous découvrirons 12 nouvelles clefs à utiliser dans le feu de l'action. Elles nous permettront de préparer le fonctionnement du projet et d'être en mesure de faire face à une plus grande diversité de situations. Un troisième volume viendra compléter ce grand trousseau avec 25 autres clefs pour mieux se réaliser.

ÉPILOGUE

Les croyances de la famille des Rockefeller . . .

JE CROIS en la valeur suprême de l'être humain et en son droit à la vie, à la liberté et à la recherche du bonheur.

JE CROIS que tout droit suppose une responsabilité; toute occasion favorable, un devoir; toute possession, une obligation.

JE CROIS que la loi a été créée pour l'Homme et non l'Homme pour la loi; qu'un gouvernement est au service du peuple et non son Maître.

JE CROIS en la dignité du travail, qu'il soit intellectuel ou manuel; que le monde ne doit pas faire vivre chaque personne mais qu'il doit offrir à chacun la possibilité de gagner sa vie.

JE CROIS que l'épargne est primordiale à une vie ordonnée et que l'économie est un préalable à une structure financière saine, tant au niveau gouvernemental, commercial que personnel.

JE CROIS que la vérité et la justice sont des éléments fondamentaux pour la persistance de l'ordre social.

JE CROIS en l'inviolabilité d'une promesse et que la parole d'un Homme devrait être aussi acceptable que son engagement; que la détermination est la valeur suprême et non la richesse ou le pouvoir.

JE CROIS que prêter assistance à son prochain est le devoir commun de l'humanité et que seul le feu purificateur du sacrifice détruira l'avilissement de l'égoïsme et libérera la grandeur de l'âme.

JE CROIS en un Dieu tout-puissant et tout-aimant, quel que soit son nom, et que l'ultime accomplissement de l'être, le bonheur intense et l'extrême utilité résident dans une vie conforme à sa conscience.

JE CROIS que l'amour est le plus beau sentiment au monde; que lui seul peut conquérir la haine; que le Bien réussira à triompher de la Force.

John D. Rockefeller Jr
traduit du texte anglais original
par Natalie Boivin

ANNEXES

ANNEXE I

Credo des clubs régionaux de l'entrepreneurship

Voici 13 valeurs d'action vécues et véhiculées par les membres de ces clubs. Elles sont le moteur de leur développement.

L'entrepreneur(e) sait que:

√   chaque personne a un potentiel unique;

√   la ressource humaine est la ressource la plus importante;

√   le client est la raison d'être de l'entreprise;

√   le sens de l'écoute est essentiel;

√   toute communication doit être claire et précise;

√   faire des affaires, c'est échanger des services, des produits, des procédés entre gens ayant des besoins et des compétences complémentaires;

√   le sourire, l'amabilité et l'ouverture d'esprit sont sources d'énergie et de succès;

√   la ponctualité fait toute la différence;

√   l'erreur est humaine;

√   on doit se fixer des objectifs et planifier régulièrement;

√   le goût du défi, la détermination et la vision de son futur donnent un sens à sa quotidienneté;

√   être bien dans sa peau donne confiance en soi; l'honnêteté est le gage de la loyauté envers soi-même et les autres;

√   l'optimisme est la marque d'un chef, d'un gagnant.

Ces valeurs engendrent la prospérité.

ANNEXE 2

Sommaire de votre projet d'entreprise

P.S. Voici un questionnaire pour évaluer un projet d'entreprise.
Si vous désirez vous prévaloir d'une première évaluation gratuite, veuillez nous en informer et nous vous en ferons parvenir un exemplaire à compléter.

Présentation de votre entreprise

NOM DU PROJET
(raison sociale souhaitée)

_____

DESCRIPTION DU PROJET

Secteur d'activités: _____

Description des produits (biens ou services offerts):

_____

_____

OBJECTIFS DE L'ENTREPRISE

Qualitatifs:	Court terme (1 an)	Long terme (5 ans)
Produits	_____	_____
Territoire	_____	_____

Quantitatifs:	1re année	2e année
Chiffre d'affaires	_____	_____
Profits	_____	_____
Emplois créés	_____	_____

FORME JURIDIQUE
(enregistrement, incorporation ou autre forme)

_____

157

ÉCHÉANCIER DE RÉALISATION

Date	Réalisation
_____	_____
_____	_____
_____	_____
_____	_____
_____	_____
_____	_____

ÉVALUATION DU MARCHÉ

Zone géographique _____

_____

Clientèle visée _____

_____

Question(s) posée(s)

(sondage)   Q1 _____

Q2 _____

Q3 _____

SITUATION CONCURRENTIELLE

	Produits	Points forts	Points faibles
Concurrent(s) direct(s)	_____	_____	_____
Concurrent(s) indirect(s)	_____	_____	_____
Nous	_____	_____	_____

EMPLACEMENT DU LIEU D'AFFAIRES (raisons)

R_1 _____

R_2 _____

R_3 _____

STRATÉGIES DE MISE EN MARCHÉ

S_1 _____

S_2 _____

S_3 _____

FAISABILITÉ DU PROJET

Matières premières ou achats

Fournisseurs	Produits fournis	Modalités de paiement	Coût(s)
_____	_____	_____	_____
_____	_____	_____	_____
_____	_____	_____	_____
_____	_____	_____	_____
_____	_____	_____	_____

Main-d'œuvre requise

Tâches (description sommaire du travail)	Salaire	Nombre de poste(s)
_____	_____	_____
_____	_____	_____
_____	_____	_____
_____	_____	_____

RENTABILITÉ DU PROJET

Dépenses d'immobilisation

_____

_____

PARRAIN(S) ou MEMBRE(S) du PREMIER CONSEIL D'ADMINISTRATION ou du COMITÉ DE GESTION

Nom   Fonction actuelle

_____   _____

_____   _____

_____   _____

ÉVALUATION ET SUIVI

Mes besoins financiers ($)   _____

Je démarre (telle date)   _____

P.S.   Pour une évaluation gratuite de votre projet,
        faites-le parvenir à :

**Le Centre de l'Entrepreneurship
2045, rue de Vouvray
Laval (Québec), Canada
H7M 3J9**

Vos commentaires, expériences ou idées
visant à améliorer les présentes clefs sont
les bienvenus. Prière de les faire
parvenir à :

Les Éditions *qualité performante* inc.
2045, de Vouvray
Laval, Québec, Canada
H7M 3J9

Cet ouvrage a été imprimé
sur un papier recyclé contenant
des fibres désencrées.

Achevé   Imprimerie
d'imprimer Gagné Ltée
au Canada Louiseville